COLLEZIONE DI POESIA

224.

© 1991 Giulio Einaudi editore s.p.a., Torino

ISBN 88-06-12229-0

Alda Merini

VUOTO D'AMORE

A cura di Maria Corti

Giulio Einaudi editore

Introduzione

Nell'attuale incombente cultura dello spettacolo è necessario resistere alla tentazione di dilatare leggende che fioriscono sulla follia, il disordine mentale, l'orrore quotidiano come miti dell'immaginario: la scrittura, la poesia è un dato che prepotentemente mette nell'ombra ogni cronaca coi suoi eventi. Il discorso vale per Alda Merini, che non ha mai tradito fin dalla prima giovinezza il destino di poeta, nonostante gli affronti di tale destino. È lei stessa a iniziare una prosa intitolata *La mia poesia*, introduttiva alla raccolta *Fogli bianchi*, affermando l'identità salvifica di vita e poesia, e a terminarla con la frase: «Il cielo della poesia non si arresta, anche se la persona fisica rimane assente, dimenticata in altri luoghi».

La Merini scrive in momenti di una sua speciale lucidità benché i fantasmi che recitano da protagonisti nel teatro della mente provengano spesso da luoghi frequentati durante la follia. In altre parole, vi è prima una realtà tragica vissuta in modo allucinato e in cui lei è vinta; poi la stessa realtà irrompe nell'universo della memoria e viene proiettata in una visione poetica in cui è lei con la penna in mano a vincere. La costanza dell'irruente processo dal reale al visionario ne conferma l'autenticità, la sottesa forza di natura e insieme giustifica che si agevoli o incrementi la lettura di questa poesia col sussidio di qualche dato biografico, assunto proprio da quella prima realtà.

Andiamo incontro dunque allora alla «ragazzetta milanese» di cui Pasolini parlò in «Paragone» del 1954: nata a Milano insieme alla primavera, come lei scrisse, il 21 marzo del 1931 in una famiglia dove c'era un padre che lavorava alle Assicurazioni Generali Venezia, una madre, una sorella maggiore e un fratello minore, Alda frequentò le scuole professionali all'Istituto Laura Solera Mantegazza, da cui tentò senza riuscita l'ammissione al liceo Manzoni: respinta in italiano! Dove si conferma che la scuola nei riguardi degli artisti non tradisce mai le proprie tradizioni. In quel periodo si diede allo studio del pianoforte, strumento amato per tutta la vita e persino miticizzato. Sui quindici anni scrisse le prime poesie ed ebbe il primo incontro con la letteratura: Silvana Rovelli, cugina di Ada Negri, passò qualche poesia ad Angelo Romanò, che a sua volta le passò a Giacinto Spagnoletti, giustamente considerato il vero scopritore della Merini. Quest'ultimo abitava allora in via del Torchio dove la giovanissima poetessa, snella e dagli occhi lucidi, frequentò nel 1947 Giorgio Manganelli, Luciano Erba, Davide Turoldo e altri fra cui me stessa. Fu proprio in quel 1947 che la Merini incontrò le prime ombre nella sua mente e venne internata per un mesetto a Villa Turro. All'uscita alcuni amici le furono molto vicini: Manganelli la portò in esame da Fornari e da Musatti, io da Clivio. Allora ogni sabato pomeriggio lei e Manganelli salivano le lunghe scale senza ascensore del mio pied-à-terre in via Sardegna e io li guardavo dalla tromba della scala: solo Dio poteva sapere che cosa sarebbe stato di loro. Manganelli piú di ogni altro l'aiutava a raggiungere coscienza di sé, a giocarsi bene il destino della scrittura al di là delle ombre di Turro. Non profetico, quindi, come è stato scritto, ma legato a precisa informazione l'accostamento pasoliniano della Merini a Campana.

La poesia intanto continuava il suo cammino, nascevano testi con cui la giovane donna apriva un conto di fiducia in sé che non si è mai estinto, anche nei momenti piú drammatici. Il primo a pubblicarla fu Spagnoletti nell'*Antologia della poesia italiana 1909-1949* (Guanda 1950), da dove le poesie *Il gobbo* e *Luce* passarono con altre due inedite a *Poetesse del Novecento*, che Scheiwiller stampò nel 1951 su suggerimento di Montale e della Spaziani. In questi primi testi da un lato si rileva la presenza di «motivi» che saranno tipici di tutta la produzione della Merini, la simbiosi dell'erotico e del mistico, l'antitesi di tenebra e luce (il possedersi «tenebrosamente luminoso»), la metafora del fiume; d'altro lato si ammira una sobrietà lirica, una concentrazione stilistica davvero esemplari, violentate nei testi di questo ultimo decennio da una carica barocca e da insistenze stilistiche anaforiche, forse legate, chissà, ai traumi psichici e a quello che per lei fu il naturale inferno del vivere.

Manganelli fu veramente un maestro di stile per la Merini. Dopo la sua definitiva partenza da Milano, nel periodo 1950-53 la Merini ebbe frequenti rapporti di amicizia e di lavoro con Salvatore Quasimodo, a cui sono dedicati tre testi della presente raccolta, abbastanza espliciti e che si commentano da sé. Nel

1953 sposò Ettore Carniti, proprietario di alcune panetterie milanesi. Nello stesso anno esce il primo volume di versi, *La presenza di Orfeo*, mentre nel 1955 seguono *Paura di Dio*, *Nozze romane* e nasce la prima figlia Emanuela. Al medico curante della bambina, di nome Pietro, è dedicata nel 1961 la raccolta *Tu sei Pietro*, cui seguí un ventennio di silenzio.

Due parole su questa fase di pre-silenzio, su questo testo che fu veramente anello di congiunzione fra il prima e il dopo: già il titolo *Tu sei Pietro* è denso di significato per la sovrapposizione a livello creativo dell'evento terreno a quello biblico o viceversa, il che si ripeterà nella *Terra Santa*. Ecco anche la lirica *Missione di Pietro* con i richiami alla paura selvatica della carne e al finale martirio. Si può dire che la prima parte della raccolta nasce e cresce in siffatto clima saturo di rinvii evangelici, laddove nella seconda e terza liriche come *Sogno*, *Se avess'io*, *Ad una donna*, *Per una giovinetta* fanno pensare ad alcuni testi delle inedite *Poesie per Marina* della nostra raccolta: lo stesso senso di alacre lievità della giovinezza, di nitido quasi ilare disegno umano, comparabile a una corolla al vento. Negli anni intermedi fra *Tu sei Pietro* e quest'ultima raccolta dedicata a Marina Bignotti c'è qualche altro scatto di grazia verbale in liriche dedicate alla figlia Barbara.

Ma due aspetti sono particolarmente importanti in *Tu sei Pietro* per intendere la poesia di dopo il lungo silenzio: il primo consiste nell'essere la scrittrice già visitata con assillante insistenza dalla fusione, per cosí dire, ossimorica di impulsi religiosi ed erotici, cristiani e pagani. Eccola scrivere in *Rinnovate ho per te*: «Ché cristiana son io ma non ricordo | dove e quando finí dentro il mio cuore | tutto quel paganesimo che vivo».

L'altro aspetto che a prima vista può confondere il lettore è l'uso senza limiti di un linguaggio amoroso e particolarmente del sintagma «amore mio», non solo per l'oggetto del desiderio erotico o dell'amore platonico o di quello mistico, secondo antiche valide tradizioni, ma anche per l'oggetto di un suggestivo rapporto amichevole, maschile o femminile che sia, capace di creare nella Merini un'eccitazione fabulosa della mente, una sorta di astratto miracolo, una «splendida frase musicale piovuta dalle mani di Dio», per definire la situazione con una sua immagine. A questo punto può divenire superflua un'ispezione meticolosa della realtà biografica: quello che conta è solo l'apparizione del fantasma poetico di quell'uomo o di quella donna, che è sempre avvolto in una vestizione creativa e naturalmente si irrobustisce quando sale al clima incoerente e vertiginoso in cui respira la follia. A tale complesso e ambiguo decorso si rifanno sia *Tu sei Pietro* sia le finora inedite *Poesie per Charles* (1982).

Con il 1965 ha inizio l'oscuro periodo di internamento al manicomio Paolo Pini che prosegue fino al 1972 con parziali ritorni in famiglia, durante i quali incredibilmente nascono altre tre figlie, fra cui l'amatissima Barbara. Seguono periodi alterni di salute e malattia sino al 1979 quando, a detta della Merini stessa, lei torna a scrivere e soprattutto dà l'avvio ai testi poetici piú intensi, le meditazioni liriche sulla sconvolgente esperienza manicomiale: *La Terra Santa*. Al proposito potrei testimoniare la generale ottusa indifferenza con cui gli editori accolsero la prima proposta di stampa di un gruppo di poesie della *Terra Santa*, e ciò a riprova di come sia stata un'ardua, dolorosa esperienza per la Merini il ritorno nel mondo letterario dopo cosí lunga assenza. Un giorno della primavera del 1982 raccontavo delusa a Paolo Mauri la via Crucis dei rifiuti, quando con squisita attenzione Mauri mi offerse lo spazio per trenta poesie sul n. 4, inverno 1982-primavera 1983, della sua rivista «Il cavallo di Troia». La mia scelta, concordata con l'autrice, avvenne su un dattiloscritto di oltre un centinaio di testi, non tutti alla stessa altezza, a dire la verità. Ma è questa un'altra caratteristica dell'operazione poetica della scrittrice, spinta dagli stessi medici per ragioni terapeutiche a mettere tutto su un foglio, donde l'opportunità della selezione ai fini artistici. Il silenzio comunque era rotto e nel 1984 Scheiwiller riprese le trenta liriche del «Cavallo di Troia»; e insieme ne aggiungemmo altre dieci. Ora è possibile commentare *La Terra Santa* con *L'altra verità. Diario di una diversa* e con le prime pagine di *Delirio amoroso*. Ma non si dimentichi che, come scrisse Manganelli nella Prefazione al *Diario*, non si tratta di documenti o di testimonianze, ma di una «ricognizione, per epifanie, deliri, nenie, canzoni, disvelamenti e apparizioni, di uno spazio – non un luogo – in cui, venendo meno consuetudine e accortezza quotidiana, irrompe il naturale inferno e il naturale luminoso dell'essere umano». Presso a poco negli stessi anni della *Terra Santa*, cioè dopo il 1979, furono composte le liriche inedite della serie *Il volume del canto*, che si sono qui messe in apertura.

Ma torniamo alla singolare indocile materia esistenziale: nel 1981 il marito Ettore Carniti muore, dopo una malattia lunga, molto penosa. La Merini resta sola, affitta una camera al pittore Charles, comincia a comunicare telefonicamente con il poeta tarantino Michele Pierri, ammiratore della sua poesia. Trascorrono due anni di incertezze, angosce, proterve speranze, epifanie in cui le ricognizioni si muovono entro un labirintico triangolo: il marito morto, il pittore presente, il poeta tarantino lontano, ma «bello, alto, austero, silenzioso e temibile. Ma io non lo temevo. Due poeti non si temono mai, perché sanno che sotto la loro forza c'è una vulnerabilità cosí silenziosa da far pensare ai sottofondi marini» (*Delirio amoroso*, p. 23).

Nell'ottobre del 1983 la Merini sposa Michele Pierri e si trasferisce a Taranto. Ha scritto da poco le *Rime petrose*, dedicate a lui e alla memoria del padre, come pure *Le piú belle poesie*, datate ottobre 1983, testi per lo piú d'occasione e vagamente retorici, salvo qualcuno indirizzato a Pierri. Al periodo tarantino si riferiscono le 20 poesie-ritratti, *La gazza ladra* (1985) e i primi quattro dei testi *Per Michele Pierri*, un tutto inedito. A Taranto la Merini finí la stesura di *L'altra verità. Diario di una diversa*, suo primo testo di prosa, sia pure ininterrottamente lirica. In quegli anni la coppia ogni tanto saliva a Milano su quel treno rievocato con acre, sconvolgente rimpianto nella lirica *Su quel treno di Taranto, infinito*, qui edita in *Poesie per Marina*. Era una coppia fabulosa, che se ti veniva a trovare ti lasciava nell'aria il senso di un'epifania: avvolta lei in una illusione di felicità, lui esile vecchio dall'ilare ironia, in cui io rivedevo con stupore il lontano giovane medico-poeta dell'Accademia Salentina di Lucugnano nell'immediato dopoguerra.

Nel luglio del 1986 la Merini ritorna nel Nord, dopo un periodo alquanto sinistro in cui, fra l'altro, ha nuovamente sperimentato gli orrori a Taranto di un ospedale psichiatrico e la perfezione di un suo dramma. Nello stesso 1986 avvia a Milano una cura psichiatrica con la dottoressa Marcella Rizzo, a cui la Merini dedica piú di una lirica, testi che si possono leggere nel Fondo Manoscritti dell'Università di Pavia, dove vi è un apposito settore dedicato alla Merini; in una di queste liriche si legge: «Tu, anima, a volte mi sospingi in avanti | ancora perché io cammini da sola, | come un bimbo che esiti a partire, | e io cigolo come l'onda...» Fortunatamente nello stesso anno la Merini riprende a scrivere e a frequentare gli amici di un tempo, fra cui Vanni Scheiwiller che le pubblica *L'altra verità* (di cui però alcuni brani già erano usciti con prefazione di Manganelli in «Alfabeta» del settembre 1983). E frequenta anche Marina Bignotti della casa editrice Scheiwiller, cui è dedicata l'ultima serie dei testi qui editi.

Non è questo lo spazio ove possa aver luogo un saggio critico o un esame dell'eccezionale sistema metaforico della Merini o il recupero dei giudizi di eccellenti poeti come Pasolini, Betocchi,

Raboni; e nemmeno può essere discusso, ma soltanto segnalato il quesito dei rapporti fra testi poetici e prosastici dal punto di vista della realizzazione artistica e quindi della funzione da attribuirsi alle «molecole di narratività», come le chiama Renato Minore, presenti in tutta l'opera della scrittrice. A leggere gli ultimi testi della Merini, *Delirio amoroso* e *Il tormento delle figure* (1990) si potrebbe anche ipotizzare un futuro in ambito narrativo.

Nel poco spazio che ci pertiene ancora si vuol dare qualche notizia sui testi.

Le poesie inedite di questo volume si trovano in manoscritti o dattiloscritti del Fondo Manoscritti di autori moderni e contemporanei dell'Università di Pavia; ma probabilmente anche nei cassetti di vari scrittori e amici della Merini, data la sua tendenza a distribuire abbondantemente, anche via postale, i propri testi prima della stampa. A volte il processo si complica in quanto a diverse persone sono offerte diverse stesure dello stesso testo. Si è dato qui un esempio del fatto stampando *La canzone dell'uomo infedele* in una redazione diversa, e a parer nostro piú valida, di quella dell'edizione, oltre tutto introvabile, di *Donne in poesia. Incontri con le poetesse italiane* (a cura di Maria Pia Quintavalla, Ufficio Editoriale del Comune di Milano, 1988). Capita che la Merini a volte non migliori i suoi testi ritoccandoli a freddo, dato il tipo di poesia istintiva ed epifanica in lei frequente.

Va segnalato che nel Fondo pavese molti, anzi moltissimi sono ancora i testi poetici inediti, anche per le motivazioni esposte nel corso di questa introduzione. Per anni la Merini si è abituata a scrivere di getto, spesso a scopo liberatorio: ne nascono ora testi di alto valore poetico ora di carattere comunicativo. Di qui l'utilità di un lavoro di selezione che deve essere proprio non dell'autrice ma di un critico serio. Si aggiunga la difficoltà di leggere gli originali: se manoscritti, per la grafia convulsa; se dattiloscritti perché la Merini, attenta piú alla propria voce interiore che ai tasti della macchina da scrivere, spesso salta o sostituisce lettere, dopo di che abbandona il foglio senza rilettura e correzione. Alquanto pericoloso affidarsi alla filologia divinatoria.

Si è dato alle cinque raccolte di inediti un relativo ordine cronologico. In sesta sede si è posta *La Terra Santa*, già edita, ma introvabile da anni e tuttavia degna di ristampa per essere fra le creazioni poetiche migliori di Alda Merini.

MARIA CORTI

Bibliografia delle opere di Alda Merini*

La presenza di Orfeo, Schwarz 1953.
Paura di Dio, Scheiwiller 1955.
Nozze romane, Schwarz 1955.
Tu sei Pietro, Scheiwiller 1961.
Destinati a morire, Lalli 1980.
Le rime petrose, edizione privata 1983.
Le satire della Ripa, Laboratorio Arti Visive 1983.
Le piú belle poesie, edizione privata 1983.
La Terra Santa, Scheiwiller 1984.
La Terra Santa e altre poesie, Lacaita 1984.
L'altra verità. Diario di una diversa, Scheiwiller 1986.
Fogli bianchi, Biblioteca Cominiana 1987.
Testamento, Crocetti 1988.
Delirio amoroso, il melangolo 1989.
Il tormento delle figure, il melangolo 1990.
Le parole di Alda Merini, Stampa Alternativa 1991.

* Si citano solo i volumi, non le anticipazioni apparse su riviste.

VUOTO D'AMORE

Lo sguardo del poeta

Se qualcuno cercasse di capire il tuo sguardo
Poeta difenditi con ferocia
il tuo sguardo son cento sguardi che ahimè ti hanno
            guardato tremando

Il volume del canto

Il volume del canto

Il volume del canto mi innamora:
come vorrei io invadere la terra
con i miei carmi e che tremasse tutta
sotto la poesia della canzone.
    Io semino parole, sono accorta
seminatrice delle magre zolle
    e pur qualcuno si alza ad ascoltarmi,
uno che il canto l'ha nel cuore chiuso
e che per tratti a me svolge la spola
    della sua gaudente fantasia.

Spazio spazio io voglio, tanto spazio
   per dolcissima muovermi ferita;
voglio spazio per cantare crescere
   errare e saltare il fosso
   della divina sapienza.
Spazio datemi spazio
ch'io lanci un urlo inumano,
quell'urlo di silenzio negli anni
   che ho toccato con mano.

Paura dei tuoi occhi

Paura dei tuoi occhi,
di quel vertice puro
entro cui batte il pensiero,
paura del tuo sguardo
nascosto velluto d'algebra
col quale mi percorri,
paura delle tue mani
calamite leggere
che chiedono linfa,
paura dei tuoi ginocchi
che premono il mio grembo
e poi ancora paura
sempre sempre paura,
finché il mare sommerge
questa mia debole carne
e io giaccio sfinita
su te che diventi spiaggia
e io che divento onda
che tu percuoti e percuoti
con il tuo remo d'Amore.

Canto alla luna

La luna geme sui fondali del mare,
   o Dio quanta morta paura
   di queste siepi terrene,
   o quanti sguardi attoniti
   che salgono dal buio
   a ghermirti nell'anima ferita.
La luna grava su tutto il nostro io
e anche quando sei prossima alla fine
senti odore di luna
sempre sui cespugli martoriati
dai mantici
dalle parodie del destino.
Io sono nata zingara, non ho posto fisso nel mondo,
ma forse al chiaro di luna
mi fermerò il tuo momento,
quanto basti per darti
un unico bacio d'amore.

I miei poveri versi

I miei poveri versi
non sono belle, millantate parole,
non sono afrodisiaci folli
da ammannire ai potenti
e a chi voglia blandire la sua sete.
I miei poveri versi
sono brandelli di carne
nera disfatta chiusa,
e saltano agli occhi impetuosi;
sono orgogliosa della mia bellezza;
quando l'anima è satura dentro
di amarezza e dolore
diventa incredibilmente bella
e potente soprattutto.
Di questa potenza io sono orgogliosa
ma non d'altre disfatte;
perciò tu che mi leggi
fermo a un tavolino di caffè,
tu che passi le giornate sui libri
a cincischiare la noia
e ti senti maestro di critica,
tendi il tuo arco
al cuore di una donna perduta.
Lí mi raggiungerai in pieno.

O mia poesia, salvami

O mia poesia, salvami,
   per venire a te
scampo alle invitte braccia del demonio:
   nel sogno bugiardo
agguanta la mia gonna la sua fiamma
   e io vorrei morire
per i mille patimenti che m'infligge.
   Nulla vale la durata di una vita
   ma se mi alzo e divoro
con un urlo il mio tempo di respiro,
lo faccio solo pensando alla tua sorte,
mia dolce chiara bella creatura,
mia vita e morte,
mia trionfale e aperta poesia
   che mi scagli al profondo
perché ti dia le risonanze nuove.
   E se torno dal chiuso dell'inferno
torno perché tu sei la primavera:
   perché dunque rifiuti me germoglio,
   casto germoglio della vita tua?

Due poesie per Q.

I.

Padre che fosti a me, grande poeta,
    bene ricordo la tua cetra viva
    e le tue dita bianche affusolate
    che varcavano il solco del mio seno.
    E io ricordo tutto, le bufere
    i venti aperti e quella confusione
    che trovava la nostra poesia.
Parlavamo il linguaggio dei poeti
    casto, accorato senza delusioni
    o eravamo delusi di noi stessi
poveri, confinati nello spazio
come astronauti sulla stessa luna.

II.

M'avessi amato tu nella penombra
invece che nel caos primordiale
delle stelle cadenti, me protratta
m'avessi presa dritta nelle spalle
        con uno strale d'armi vorticoso.
        Invece tu d'amore m'incendiasti
là sopra i ghetti, a porta Garibaldi,
    come avessi la veste di chiazzata
    gitana oppure donna malvestita
    e vestita di obbrobri. Oh ci voleva
cosí poco per te ch'eri poeta
darmi una ghianda d'oro e un soffio puro.
Invece a me porgesti le gomene
e i covoni di marzo e fummo due
    arieti spinti dalla stessa fune.

La lunga notte

La lunga notte mi pareva strana:
ardua di mille supplici colori,
la notte della tua misericordia
senza nessuna carità di suono.
    Ora si è rotta e scoppia la misura
    altisonante del tuo grande nome
    sicché tutta spauro e non consola
    piú questo cuore alcuna tua memoria.

Ho trovato il mio momento preciso,
    delirio di pace,
    piccolo silenzioso uccello
    che ho nelle mani ferite.
  Ho le stigmate e da sempre,
  da quando cioè ho peccato
  contro la dura sorte
  con un momento d'amore.
Addio addio mio chiostro,
mia dimora precisa,
ti lascerò per gli alberi
per le ginestre e i fiori,
    ma il tuo avello terreno
    lo porterò nel mio grembo,
    dentro le mie turgide mammelle
    che sempre allattano gli angeli
    da quando io fui generata.

Lascio a te queste impronte sulla terra
   tenere dolci, che si possa dire:
qui è passata una gemma o una tempesta,
   una donna che avida di dire
   disse cose notturne e delicate,
   una donna che non fu mai amata.
Qui passò forse una furiosa bestia
avida sete che dette tempesta
alla terra, a ogni clima, al firmamento,
   ma qui passò soltanto il mio tormento.

Sono nata il ventuno a primavera
 ma non sapevo che nascere folle,
 aprire le zolle
 potesse scatenar tempesta.
Cosí Proserpina lieve
 vede piovere sulle erbe,
sui grossi frumenti gentili
e piange sempre la sera.
Forse è la sua preghiera.

Le mie impronte digitali

Le mie impronte digitali
        prese nel manicomio
    hanno perseguitato le mie mani
        come un rantolo che salisse la vena della vita,
quelle impronte digitali dannate
sono state registrate nel cielo
            e vibrano insieme ahimè
            alle stelle dell'Orsa maggiore.

Mi sono innamorata
    delle mie stesse ali d'angelo,
    delle mie nari che succhiano la notte,
mi sono innamorata di me
e dei miei tormenti.
Un erpice che scava dentro le cose,
o forse fatta donzella
ho perso le mie sembianze.
Come sei nudo, amore,
nudo e senza difesa:
io sono la vera cetra
che ti colpisce nel petto
e ti dà larga resa.

Erinni

Fino a quando dovrò, mente dannata,
partorir la tua rima e la tua forza
onde per gioco mi giocò l'amore?
Fino a quando dovrò mandare aromi
di tremende vendette alle tue Erinni?
Fino a quando giocare sopra questa
bussola torta che mi porta piano
a farmi di me stessa capitano?

in ricordo di Giorgio Manganelli

Quando ci mettevano il cappio

Quando ci mettevano il cappio al collo
e ci buttavano sulle brandine nude
insieme a cocci immondi di bottiglie
per favorire l'autoannientamento,
allora sulle fronti madide
compariva il sudore degli orti sacri,
degli orti maledetti degli ulivi.
Quando gli infermieri bastardi
ci sollevavano le gonne putride
e ghignavano, ghignavano verde,
era in quel momento preciso
che volevamo la lapidazione.
Quando venivamo inchiodati in un cesso
per esser sottoposti alla Cerletti,
era in quel momento che la Gestapo vinceva
e i nostri maledettissimi corpi
non osavano sferrare pugni a destra e a manca
per la resurrezione degli uomini.
    Ma la Gestapo noi adesso vogliamo colpirla
    e vogliamo instaurare la ghigliottina
ed anche la rivoluzione francese,
proprio sul patio ove sorgeva l'oggetto infame
delle nostre vicissitudini di uomini,
la ghigliottina sorda dal vorticoso silenzio
per le teste degli psichiatri adunchi.
Noi vogliamo vederle rotolare per terra
come delle palle da ping pong.
A lungo fummo calati nelle racchette del gioco,
a lungo fummo palle volo, giochi di baseball.
Adesso basta, vogliamo giocare anche noi
e io che amo zappare la terra
costruirò questo campo per i ludi gioiosi dei pazzi.

Noi la letteratura la facciamo sui vertici
in mezzo a picchi di ghiaccio
e beviamo fiele per riprendere fiato,
ma noi balliamo sui ghiacci
con tutta la forza aerea del dolore,
e imitiamo le silfidi piú pure,
quando diamo i nostri gemiti piú dolci.
Nulla piú di questo potrà innamorare la folla
assetata di sangue e di imposture
e di grumi di sangue non mentalmente dissolti.
E cosí anche oggi ho speso fino all'ultimo centesimo di
        parola
per dare la mia escursione alla luna
là dove finí il senno di Orlando,
ma dove non finirà il pinnacolo d'oro
del Paolo Pini demente.

Da

*Vuoto d'amore
Poesie per Charles*

(1982)

Charles Charlot Charcot,
    rimembranza dolce,
vieni tu dall'Andalusia,
    vieni tu dal miraggio segreto
del florilegio dei sensi?
    Charles, Charcot,
    tu che hai nel duro cappello
    le melodie del gioco,
sei giocoliere o amante?

Una volta ti dissi:
   non arrabbiarti, amore,
s'io sono diversa.
   Forse sono una colonna di fumo,
   ma la legna che sotto di me arde
   è la legna dorata dei boschi,
e tu non hai voluto ascoltarmi.
Guardavi la mia pelle candida
con l'incredulità di un sacerdote,
   e volevi affondarvi il coltello
   e cosí la tua vittima è morta
sotto il peso della tua stoltezza,
   o malaccorto amore.

Prendevo in giro l'ebrietà della forma
   e sapevo che ero di lutto,
   eppure il lutto mi doleva dentro
   con la dolcezza di uno sparviero.
Quante volte fui scoperta e mangiata,
quante volte servii di pasto agli empi;
   e anche tu adesso sei empio,
   o mio corollario di amore.
Dov'è la tua religione
   per la mia povera croce?

Ogni giorno che passa
        fiorisce un usignolo
        di bel canto sul ramo,
    che fa qualche richiamo
    modesto richiamo
        alla povera vita,
usignolo che canta
di povertà infinita.
Ogni giorno che passa
alza questo sipario
di perpetua baldanza
        ed ecco il calendario
        della vita che passa.
Ogni giorno è una zolla
che rimuove la terra
ma piantarvi il tuo seme
        che fatica superba!

Il ritmo ottunde le mie povere idee,
a me piacciono i revivals dei negri,
la loro segreta esuberanza:
se fossi vissuta in Africa,
avrei danzato attorno a un fuoco
dicendo ch'era il mio Dio.
Poiché son nata in Italia,
ballo intorno al tuo corpo
la danza dello stregone
affinché tu risorga
a risanarmi l'anima.
Ma nessuno che mi accompagni
con cembali o trombe dorate;
forse soltanto gli angeli
hanno pietà di un carme solitario.

Ho vergogna delle notti che hanno invaso il piacere,
vergogna di me stessa e paura,
che possa ancora ripetersi
che io diventi acqua
e che tu mi beva dal limbo
della tua luce segreta.
O ruscelletto mio, accorta voragine di sogno,
paradiso tremulo dei miei carmi,
portami alla tua serra,
che io muoia del profumo dei fiori,
irripetibile terra
di un amore ferito.

O il veleggiare del tuo caldo pensiero
sopra la mia parola
        e il tuo dormire selvaggio
        accanto al mio seno vivo;
o l'adombrarsi della primavera
quando cade il suono del seme
sulla terra feconda di parola.
Cosí tu sei l'esempio
        del sole mio.

Non vedrò mai Taranto bella
    non vedrò mai le betulle
        né la foresta marina:
        l'onda è pietrificata
    e le piovre mi pulsano negli occhi...
Sei venuto tu, amore mio,
in una insenatura di fiume,
            hai fermato il mio corso
            e non vedrò mai Taranto azzurra,
            e il mare Ionio suonerà le mie esequie.

Le osterie

A me piacciono gli anfratti bui
    delle osterie dormienti,
dove la gente culmina nell'eccesso del canto,
a me piacciono le cose bestemmiate e leggere,
    e i calici di vino profondi,
    dove la mente esulta,
    livello di magico pensiero.
Troppo sciocco è piangere sopra un amore perduto
    malvissuto e scostante,
meglio l'acre vapore del vino
    indenne,
meglio l'ubriacatura del genio,
    meglio sí meglio
l'indagine sorda delle scorrevolezze di vite;
    io amo le osterie
che parlano il linguaggio sottile
    della lingua di Bacco,
    e poi nelle osterie
    ci sta il nome di Charles
    scritto a caratteri d'oro.

La casa non geme piú
     sotto lo scricchiolio dei tuoi passi,
la casa non geme piú
          e datemi dei rumori
          dei rumori pesanti
datemi i rumori di Charles; datemi il suo pensiero
     e il suo lento fuggire.
Ridatemi i rumori
          della sua carne perfetta.

Io sono folle, folle,
        folle di amore per te.
Io gemo di tenerezza
        perché sono folle, folle,
        perché ti ho perduto.
Stamane il mattino era sí caldo
        che a me dettava questa confusione,
ma io ero malata di tormento
ero malata di tua perdizione.

O poesia, non venirmi addosso,
    sei come una montagna pesante,
    mi schiacci come un moscerino;
poesia, non schiacciarmi,
l'insetto è alacre e insonne,
scalpita dentro la rete,
poesia, ho tanta paura,
    non saltarmi addosso, ti prego.

La gazza ladra
Venti ritratti
(1985)

Saffo

O diletta, da cui compitai il mio lungo commento,
o donna straordinaria vela che adduci ad un porto
o storica magia o dolce amara
essenza delle muse coronate
di viole e fiori, viola pur tu stessa,
perché mai l'abbacinante sgomento
di un amore ingiustamente negato?

Archiloco

Sapiente tessitore di frodi
e di frasi sparate a zero
ma umile fior di loto:
davanti a una fanciulla
diventavi un millepiedi felice
abbandonavi anche l'umanità.

Gaspara Stampa

Inutile dare le proprie confetture a una bocca amara,
Gaspara, e le tue grazie che incantavano anche le muse
a un misero cacciatore di frutti
a un saltatore di piante,
per questo inaudito errore tu invocasti la morte
che ti ridesse la tua dignità.

Emily Dickinson

Emily Dickinson patentata quacquera,
inutile mettere muri tra te e le parole
e le svenevolezze della sorella
pronte ai tuoi inverosimili deliqui.
La forza si immette nella forza
la spada dentro la terra.

Plath

Povera Plath troppo alta per le miserie della terra,
meglio certamente la morte
e un forno crematorio
alle continue bruciature del vento,
meglio Silvia l'avveniristica impresa
di una donna che voleva essere donna
che è stata scalpitata da un uomo femmina.

Montale

Maria Luisa fu il tuo gingillo felice
vi ci giocasti la senilità.

Betocchi

O tu finalmente salvo,
uomo che ti rifiuti
semplice come madonna
non mai effeminato che trascini
la tua parlata fiorentina in mensa
in mezzo ai muratori, solo tu
vero cristiano.

Turoldo

Leone religioso, certamente
cariatide che ringhia su colonne
di canto, certamente il piú maestoso
ma certamente anche il meno festoso.

Quasimodo

Uomo sapiente, vaso di argilla
e d'oro, che all'interno avevi il confetto
del sentimento tuo siciliano,
uno scrigno di indomita dovizia
un patriarca senza mai l'amore
dei figli.

Manganelli

Mi sembravi una foca, Manganelli,
bonaria giocherellona
che invitava i bambini nello zoo,
eri grasso e facondo,
ma quella buffoneria animalesca
nascondeva sapientemente l'ingegno dell'io,
maestro di un'epoca intera.

Alda Merini

Amai teneramente dei dolcissimi amanti
senza che essi sapessero mai nulla.
E su questi intessei tele di ragno
e fui preda della mia stessa materia.
In me l'anima c'era della meretrice
della santa della sanguinaria e dell'ipocrita.
Molti diedero al mio modo di vivere un nome
e fui soltanto una isterica.

Il pastrano

Un certo pastrano abitò lungo tempo in casa
era un pastrano di lana buona
un pettinato leggero
un pastrano di molte fatture
vissuto e rivoltato mille volte
era il disegno del nostro babbo
la sua sagoma ora assorta ed ora felice.
Appeso a un cappio o al portabiti
assumeva un'aria sconfitta:
traverso quell'antico pastrano
ho conosciuto i segreti di mio padre
vivendolo cosí, nell'ombra.

Il grembiule

Mia madre invece aveva un vecchio grembiule
per la festa e il lavoro,
a lui si consolava vivendo.
In quel grembiule noi trovammo ristoro
fu dato agli straccivendoli
dopo la morte, ma un barbone
riconoscendone la maternità
ne fece un molle cuscino
per le sue esequie vive.

A Mario [1]

Se ti dicessi che ti amo
direi una infame bestemmia
perché i fratelli non si amano mai
eppure è vero; nel fuoco dell'arte
abbiamo un amore in comune,
questo non posso dimenticarlo
e dirti «ti amo» per un poeta
assume un significato diverso
dal volgere umano delle cose.
Amo i tuoi orizzonti impossibili
la tua coscienza perfetta
il tuo volgere ad ogni stagione,
la tua pennellata distratta
la tua fiducia in te,
che è in fondo l'umiltà del Cristo
che pure era figlio del Padre.

[1] Figlio di Michele Pierri e pittore.

Il curato

Ormai anche tu parli il dialetto del nostro paese
e annoveri prostitute
insieme a molte gestanti,
anche tu hai fatto un compromesso tra il bene
ed il male,
anche tu dài una mano al diavolo e una a Dio,
ma se ti parlo di teologia
lí fai cadere la frode.

Padre Camillo [1]

Hai vissuto male la fede traverso la tua bellezza
o forse trovasti la fede proprio perché eri bello.
Che congiunzione strana, e poi l'amore dei libri
specchio meraviglioso delle tue grandi distanze,
fosti povero o fosti profeta, non potrei dirlo,
amasti molti poeti come tuoi unici figli
di questa tua debolezza fosti incriminato.
    Che ossatura di riposo Camillo,
i poeti, che asperità nomadi!

[1] Il sacerdote che celebrò le nozze di Alda Merini con Ettore Carniti.

Violetta Besesti

Facevi l'astrologa coronata da grandi
            boa di struzzo,
avesti in dono il primo manifesto del Futurismo,
io stessa custodii l'arcano delle tue regole
e in casa mia ospitai i tuoi molti monili.
Eri una signora di nascita ma eri
tumefatta dall'ozio:
ti amai perdutamente perché mi avevi calamitata
ma un giorno mi dicesti «tu mi pensi, io sento
sento la tua iperbole poetica che mi rovina».

Paolo Bonomini

Eppure Paolo quanto tu mi hai amato,
ricordo la tua itterizia
per non avermi incontrata un giorno,
e io che giovane non capii che cosa il desiderio fosse
e mi lasciasti cosí per un posto di oscuro banchiere,
tu stesso divenuto oscuro per il mio disarmo.

L'ospite

Ti sei presentato una sera ubriaco
sollevando l'audace gesto
di chi vuole fare cadere una donna
nel proprio tranello oscuro
e io non ti ho creduto
profittatore infingardo.
Sulla mia buona fede
avresti lasciato cadere il tuo inguine sporco;
per tanta tua malizia
hai commesso un reato morto.

A Paola [1]

Non ho mai visto un rigoglio di rosa pura
cosí come tu sei
bionda come la musa,
distratta svenevole un pochino narcisa
e in fondo tanto adorabile.
Ma perché la giovinezza non protegge i suoi giorni
oltre lo scoglio della saggezza?
Ben piú saggia è la polvere che solleva la bionda
dal fuoco anatomico dell'inferno,
ben piú saggia se tu non sai nulla di nulla
se non delle tue prove scritte,
misere prove ahimè
in confronto dei salti della vita.

[1] Nipote di Michele Pierri.

Per Michele Pierri

Lettera a Michele Pierri

Tu mi parli della tua vita e dell'angelo
   che ha lasciato in te il profumo della presenza,
tu mi parli di solitudini
   e di antiche montagne di memorie
e non sai che in me risvegli la vita,
   non sai che in me risvegli l'amore,
parlandomi di un donna.
Io penso a quella che fui
   quando morii mill'anni or sono
e adesso tua discepola e canto,
   scendo giú fino al Golfo
   a toccare la tua ombra superba,
      o stanco poeta d'amore
   fissato a una lunga croce.

Il canto dello sposo

Forse tu hai dentro il tuo corpo
    un seme di grande ragione,
ma le tue labbra gaudenti
    che sanno di tanta ironia
    hanno morso piú baci
        di quanto ne voglia il Signore,
come si morde una mela
    al colmo della pienezza.
E le tue mani roventi
    nude, di maschio deciso
    hanno dato piú abbracci
    di quanto ne valga una messe,
    eppure il mio cuore ti canta,
        o sposo novello
        eppure in me è la sorpresa
        di averti accanto a morire
        dopo che un fiume di vita
        ti ha spinto all'argine pieno.

Non voglio che tu muoia

Non voglio che tu muoia, no.
Se tu tremassi nella morte,
io cadrei come una foglia al vento,
eppure con le mie grida e i miei sospiri
io ti uccido ogni giorno;
ogni giorno accelero la tua morte,
sperando che anche per me sia la fine
e mi domando dove Dio stia
in tanta collisione di anime,
come permetta questo odio senza rispetto,
    e brancolo nel buio della follia
    cercando il tentacolo della scienza.

A Michele Pierri

Amore, perdonami: sono brutale e vorrei ungerti
        d'olio,
ti perseguito e vorrei
che davanti a te io fossi un tappeto,
ti amo e mi recludo nel mio silenzio,
    ma ho paura, paura di me stessa,
    di questi gigli orrendi di fame e di fango
    che crescono nella mia mente.
I tuoi figli non mi perdonano
e divorano la mia anima, i tuoi figli sono divoratori,
eppure io che sono madre
sazierò le loro bocche violente
perché non arrivino mai al nostro amore,
a dividere la nostra infamia segreta
di poeti malevissuti nel mondo.

Io non sarò piú libera come un uccello,
    dacché tu te ne sei andato
    e hai legato le ali con le piume
del tuo passaggio segreto.
    Liberami, amore mio,
che conosca la tangenziale dell'Ovest,
    ancora,
che conosca i tripudi delle strade,
l'assenteismo del canto.
    Liberami, amore mio,
da questa molestissima pece,
che è il sudore della tua morte
        impresso sulle mie carni.

Elegia

O la natura degli angeli azzurri,
i cerchi delle loro ali felici,
ne vidi mai nei miei sogni?
    O sí, quando ti amai,
    quando ho desiderato di averti,
o i pinnacoli dolci del paradiso,
    le selve del turbamento,
quando io vi entrai anima aperta,
    lacerata di amore,
o i sintomi degli angeli di Dio,
    i dolorosi tornaconti del cuore.
Anima aperta, ripara le ali:
    io viaggio dentro l'immenso
e l'immenso turba le mie ciglia.
    Ho visto un angelo dolce
    ghermire il tuo dolce riso
    e portarmelo nella bocca.

Non guardarti allo specchio

Non guardarti allo specchio,
potresti vedere i solchi delle passate avventure,
    e l'idra del tuo comando.
Perché vuoi saggiare i dolci colli di ardore,
    cosí come le mimose del tempo,
    e il tuo correre sopra i colli
    aspettando l'unico amore?
L'amore ahimè ti ha tradito
per un pugno di conoscenza,
    per amore delle parole altrui.
    Perciò, Alda, non guardarti allo specchio;
    scopriresti che dietro di te non hai una spalla pura,
la spalla su cui volgeva il sangue
    o la faccia di un tempo infelice.
    Dietro di te è il nulla, una tomba
    che grida sopra il destino.
Dietro di te è la mano circospetta dell'Angelo,
    che ti inganna, ti inganna da sempre,
parlando a te dell'Annunciazione.

Da

Poesie per Marina
(1987-90)

Per Milano

Non è che dalle cuspidi amorose
crescano i mutamenti della carne,
Milano benedetta
Donna altera e sanguigna
con due mammelle amorose
pronte a sfamare i popoli del mondo,
Milano dagli irti colli
che ha veduto qui
crescere il mio amore
che ora è defunto.
Milano dai vorticosi pensieri
dove le mille allegrie
muoiono piangenti sul Naviglio
Milano ostrica pura
io sono la tua perla,
amore.

alla mia cara Marina

Marina, tu sei giovane,
ma pensa un po': per pochi denari
percorrere tante strade.
Dirò come dice Michele Pierri,
che la poesia è una grande puttana
e che tra me e Quasimodo
la vera puttana d'amore fu solo quella.
Io mi sento tale Marina
costretta a chiedere poco argento
in cambio di voli dorati
di frustrazioni degeneri,
mi sento una terra devastata
una terra su cui camminano tutti.
Marina, grazia diversa
vedi, tu sei come una regina
il tuo trono è la tua volontà
io sono la tua vassalla
soltanto perché ho un genere diverso di vita
soltanto perché hai uno scettro profondo
che a volte mi si sprofonda nel cuore,
soltanto perché sei giovane e bella,
come una dea, tu decidi della sorte disumana degli
          uomini.

a Vanni Scheiwiller

Non ho quiete

Non ho quiete, non ho pianto leggero,
non ho quella dischiusa meraviglia
che chiama fiore il fiore, non ho tempo
di decifrare gli aridi messaggi
del mio tempo dannato, mi arridosso
al mio muro di futile speranza,
arrossendo se mai tu mi perdoni.

a Giovanni Raboni

Anche tu sei un uomo, ma non solo un uomo,
                              un giardino:
ti fanno compagnia le lunghe amache
i caldi tropicali, le Azzorre.
Ma tutto in te è magnifica Grecia,
non hai la perspicacia di Ulisse
non hai la malizia degli uomini,
ma sei silenzioso e caldo
come la matrice di un giunco.

a Roberto De Feis

Come bufali stanchi
aggregati a impossibili disegni
noi viviamo alla macchia,
la nostra religione è la follia
il nostro vitello d'oro è Nicola Crocetti.
Come bufali stanchi
che inseguono terre promesse
mossi all'attacco della paura
corriamo per immense praterie
bofonchiando non so quali preghiere,
noi che siamo soli per gobbe diverse
non abbiamo tempo di sognare l'amore
e pensiamo solo alla fuga
e come bufali stanchi,
fra le orme del nostro deserto,
a volte ci buttiamo per terra
e il nemico ci uccide.

Amore

Ti ho perso lungo i solchi della vita,
o mio unico amore,
Dio di giacenza e di dubbio
Dio delle mitiche forze
Dio, Dio sempre Dio
che sei piú forte degli amplessi
e dei teneri amori.
Che fai crescere le fontane,
che appari e dispari
come un luogotenente del destino.
Perderti è come perdere la speranza
ed io ti ho perduto
non una ma un milione di volte
e ritrovarti è come sorgere dall'eterno peccato
per vedere le falle della vita
ma anche le tue mobili stelle:
TU SEI UN DIO DI AMORE.

a Marina Bignotti e Chiara Negri

A Milano

Era il tempo dell'adorata giovinezza
quando gli alberi schiusi
gemevano tristezza,
era il tempo degl'innamorati dolori
e dei sordi frastuoni della terra,
Milano benedetta
patria di sicurissime storie
di frangenti mobili oscuri,
Milano dove è nata la mia poesia
e dove la mia poesia è morta
lungo il Naviglio che geme,
dove la patria Italia ha un riferimento sicuro,
dove vivono Marina e Chiara
dove sono nati i miei figli
dove i miei figli mi abbandonano
giorno per giorno,
dove l'emarginato e il povero
trovano il suo caldo affetto
dove tutto brilla all'insegna della cultura
e dove le sere sono dolenti
come il mare di Taranto
dove ho lasciato un lungo sconfinato amore
morto di lebbra e di ardente desiderio di rivederti.

a Rino Escalante

Ed era un mattino bugiardo
uno dei tanti mattini
in cui entrai in un nefasto sogno:
era un sogno di pesanti paure,
di zolle devastate
era il sogno di un impossibile amore.
Le nostre mani furono disserrate
schiodate come le mani del Cristo
inutili furono i nostri abbandoni,
qualcuno ci ferí alle spalle
non so chi, non so chi
forse una forza umana
forse la forza del destino
forse tu stesso, amore,
mi hai colpita alle spalle.

Canzone dell'uomo infedele

Il mio uomo è uguale al Signore
il mio uomo è uguale agli dèi
se lui mi tocca
io mi sento una donna
e mi sento l'acqua che scorre
nei lecci della vita.
Il mio uomo è un purosangue che corre
mentre io cavallerizza da nulla
sto immobile a terra
il mio uomo è una chitarra felice
e io sono la sua canzone
ma lui non mi canta mai
perché?
Aspetto che la chitarra si rompa
per vivere...
Il mio uomo è un uomo crudele
il mio uomo è la mia preghiera
è uguale a Rilke e a García
è uguale a Savonarola
ma il mio uomo tocca altri inguini ed altri capelli
è generoso con le fanciulle dorate
e lascia me povera
di vecchiezza e di vita a morire per lui.
Il mio uomo se si denuda
ha il petto villoso come le aquile
ma un rostro che ferisce a fondo
e punisce i pentimenti d'amore
allora io gli mostro le mie carni ferite
e maledico la sorte,
ma se il mio uomo sorride
io torno a fiorire e divento una bianca luna
che si specchia nel mare.

Allegramente dentro la funesta
ora d'eloquio io ti rappresento
magnifico e gagliardo o come idea
tu mi sei quasi simile alla zona
del piú acre silenzio eppure canto
e lo so, amor mio, che tu mi senti.
Le sottane sono fragili a vedersi
sotto, l'inizio della tua cultura
il tuo passo deciso di Mercurio
o alato Dio che ti innamori pure
se il verbo è delicato, dolcemente chino alla fede,
bevi di quell'acqua
che satura il tuo indocile dolore;
tu sei soltanto un uomo e non è colpa
io son soltanto donna ed è un avvio
ed entrambi siam figli del Signore:
e per questo moriamo.

Natale 1988

Buon Natale, Marina,
mia rondine felice
mia adorata figliola
piena di mille grazie,
che non perdoni mai
gli sprechi di denaro:
tu non perdoni
l'usura dei poeti
la loro fantascienza
e l'eterno dolore.
Se tu non mi perdoni
che debbon dire i figli
dell'intero Naviglio
sopra cui giace inerte
la nera poesia,
quelle luci lontane
il seno della colpa
e il lubrico miraggio
di un amore perduto.
Buon Natale, Marina,
per ciò che non ho avuto.

a Marina, Chiara, Paola, Riccardo, Vanni

Natale 1989

Natale senza cordoglio
e senza false allegrie...
Natale senza corone
e senza nascite ormai:
l'inverno che già sfiorisce
non vede il suo «capitale»,
non vede un tacito figlio
che forse in un giorno d'inverno
buttò i suoi abiti ai rovi.

Marina cara,
la giovinezza ti lambisce le spalle
ed è onerosa come la poesia:
portare la giovinezza
è portare un peso tremendo,
sognare fughe e fardelli d'amore
e amare uomini senza capirne il senso.
Il divario di una musica
il divario della tua fantasia
non possono che prendere spettri,
perciò ogni tanto te ne vai lontana
in cerca di una perduta ragione di vita
in cerca certamente della tua anima.

a Marina Bignotti

Ape Regina

Accarezzami musica
scorri su me come acqua d'argilla,
scorri sulla mia bianca pietà:
io sono innamorata di un aedo,
sono innamorata del cosmo tutto,
sono piena d'amore
sono l'ape regina
col ventre gonfio dei due golfi perfetti,
dolcissimo chiaro preludio
a una polluzione d'amore.
L'uomo scorre sulle mie bianche viscere
non s'innamora mai
perché sono accademia di poesia.

Ode a Marina e Chiara

Marina e Chiara piccole fanciulle in fiore
oracoli bugiardi
ninfe benedette da Dio
bucoliche certezze;
della ammaliatrice VENERE
non sapete nulla di nulla
se non che vi ride a volte dentro il volto di un giovane;
non sapete i risvolti terribili dell'amore
che vi fa cadere in disgrazia.

Io avevo il volto bello di Venere
poi chiamavo il mio Dio
venni bruttata dalla vergogna
e dissi ancora che era una carezza del diavolo.

a Vanni Scheiwiller

Su quel treno di Taranto, infinito,
      ove guarirà l'ombra della mia giovinezza
      io tornerò un giorno.
Tornerò, Vanni, dall'amore che ho perso
tra gli ulivi gaudenti della terra,
tornerò presso il suo vecchio corpo...
Fin qui, Vanni, non ho vissuto che un anno
      di perduto dolore:
e quando il sole mi guariva le tempie,
o Vanni, io pregavo il Signore
che mi facesse morire con lui.
Ma su quel treno di Taranto, grigio
piú del martirio piú duro,
piú dell'ospedale di Affori,
un giorno io tornerò a sentire la salsedine
      pura,
le ombre cupe dei morti
le tradizioni dei vinti
l'avallo delle stagioni.
Tornerò, Vanni, a redimere il dolore di sempre
quello che mise radici lontane,
      tu sai...
I folli sacramenti
onde si imbandivano feste oscure
negli antri dei manicomi
e il tripode lontano di una bibbia immalinconita
e i sensi che ti davano la profonda vertigine
      e il mare cupo come il senso di colpa,
      ahimè cosí lontano
      e cosí vicino al mio corpo.
Ma io, Vanni, tornerò in quel golfo e per te e per me
e per tutti quanti hanno vestigia divine:
      Afrodite d'oro mi rincorre le tempie
      nei giorni del mio furore,

ma qui come la ninfa selvaggia che brama le acque
ho messo il piede nello stagno piú puro
 e invece dell'acqua era sangue,
 era sangue di amore,
e ne uscii dormiente nella parola
ne uscii dormiente nei miei lunghi capelli
ne uscii smemorata dell'infelice canto
 che aveva chiuso il giglio di Orfeo,
 magnifico esecrando padrone
  della mia giovinezza.
O Vanni, l'ebbrezza dei sensi
 cambia il velo dell'eterna armonia:
 tornerò da lui, da te
io tornerò a morire.

in morte di Giorgio Manganelli, 28 maggio 1990

I

Piangere il vento della giovinezza
o mio primo stendardo di cultura
al tutto che diviene e che si annienta
ritrovare il tuo volto solamente.
Sei piú vivo ora,
la tua morte è sí potente che somiglia a un mito
e ne siamo sconvolti.
Quante porte blindate, Amore, hai chiuso sul destino.

II

In fine, evanescenza del mondo,
la tua chiara parola di pietà
in fine non ti ho dimenticato.
Dimestichezza forse della volpe
giovane che si innesca dentro un grembo
di grande senescenza.
Avevo quindici anni e ti mentivo
soltanto coi profeti eppure tu
fosti il massimo fine disertore,
tu parlavi di te, profetizzavi,
giocoliere del mondo. Con che stelle
mi stai giocando adesso
che io ne muoio?

La Terra Santa

Manicomio è parola assai piú grande
delle oscure voragini del sogno,
eppur veniva qualche volta al tempo
filamento di azzurro o una canzone
lontana di usignolo o si schiudeva
la tua bocca mordendo nell'azzurro
la menzogna feroce della vita.
O una mano impietosa di malato
saliva piano sulla tua finestra
sillabando il tuo nome e finalmente
sciolto il numero immondo ritrovavi
                    tutta la serietà della tua vita.

Il manicomio è una grande cassa
                          di risonanza
e il delirio diventa eco
l'anonimità misura,
il manicomio è il monte Sinai,
maledetto, su cui tu ricevi
le tavole di una legge
agli uomini sconosciuta.

Al cancello si aggrumano le vittime
volti nudi e perfetti
chiusi nell'ignoranza,
paradossali mani
avvinghiate ad un ferro,
e fuori il treno che passa
assolato leggero,
uno schianto di luce propria
sopra il mio margine offeso.

Pensiero, io non ho piú parole.
Ma cosa sei tu in sostanza?
qualcosa che lacrima a volte,
e a volte dà luce.
Pensiero, dove hai le radici?
Nella mia anima folle
o nel mio grembo distrutto?
Sei cosí ardito vorace,
consumi ogni distanza;
dimmi che io mi ritorca
come ha già fatto Orfeo
guardando la sua Euridice,
e cosí possa perderti
nell'antro della follia.

Un'armonia mi suona nelle vene,
allora simile a Dafne
mi trasmuto in un albero alto,
Apollo, perché tu non mi fermi.
Ma sono una Dafne
accecata dal fumo della follia,
non ho foglie né fiori;
eppure mentre mi trasmigro
nasce profonda la luce
e nella solitudine arborea
volgo una triade di Dei.

Affori, paese lontano
immerso nell'immondezza,
qui si conoscono travi
e chiavistelli e domande
e tante tante paure,
Affori, posto nuovo
che quando si conviene
ti manda il suo raggio nudo
dentro la cella muta.

Vicino al Giordano

Ore perdute invano
nei giardini del manicomio,
su e giú per quelle barriere
inferocite dai fiori,
persi tutti in un sogno
di realtà che fuggiva
buttata dietro le nostre spalle
da non so quale chimera.
E dopo un incontro
qualche malato sorride
alle false feste.
Tempo perduto in vorticosi pensieri,
assiepati dietro le sbarre
come rondini nude.
Allora abbiamo ascoltato sermoni,
abbiamo moltiplicato i pesci,
laggiú vicino al Giordano,
ma il Cristo non c'era:
dal mondo ci aveva divelti
come erbaccia obbrobriosa.

Il dottore agguerrito nella notte
viene con passi felpati alla tua sorte,
e sogghignando guarda i volti tristi
degli ammalati, quindi ti ammannisce
una pesante dose sedativa
per colmare il tuo sonno e dentro il braccio
attacca una flebo che sommuova
il tuo sangue irruente di poeta.
     Poi se ne va sicuro, devastato
     dalla sua incredibile follia
     il dottore di guardia, e tu le sbarre
     guardi nel sonno come allucinato
     e ti canti le nenie del martirio.

Gli inguini sono la forza dell'anima,
tacita, oscura,
un germoglio di foglie
da cui esce il seme del vivere.
Gli inguini sono tormento,
sono poesia e paranoia,
delirio di uomini.
Perdersi nella giungla dei sensi,
asfaltare l'anima di veleno,
ma dagli inguini può germogliare Dio
e sant'Agostino e Abelardo,
allora il miscuglio delle voci
scenderà fino alle nostre carni
a strapparci il gemito oscuro
delle nascite ultraterrestri.

Io ero un uccello
dal bianco ventre gentile,
qualcuno mi ha tagliato la gola
   per riderci sopra,
     non so.
Io ero un albatro grande
e volteggiavo sui mari.
Qualcuno ha fermato il mio viaggio,
senza nessuna carità di suono.
Ma anche distesa per terra
io canto ora per te
le mie canzoni d'amore.

Sono caduta in un profondo tranello
come dentro ad un pozzo acquitrinoso.
O chi potrà salvarmi da questa immagine scaltra
che adombra un mobile amore?
In fondo al pozzo stanno giunchiglie di ombre
e il mio urlo sovrasta le acque.
Il camaleonte gagliardo guarda dalle orride piante
questo mio precipizio segreto.

Io ho scritto per te ardue sentenze,
ho scritto per te tutto il mio declino;
ora mi anniento, e niente può salvare
la mia voce devota; solo un canto
può trasparirmi adesso dalla pelle
ed è un canto d'amore che matura
questa mia eternità senza confini.

Il nostro trionfo

Il piede della follia
è macchiato di azzurro,
con esso abbiamo migrato
sui monti dell'ascensione,
il piede della follia
non ha nulla di divino
ma la mente ci porta
lungo le ascese bianche
dove fiotta la neve
    cresce il sambuco,
    geme l'agnello;
abbiamo attraversato ponti
esaminato misure,
e quando l'ombra cupa
del delirio incombeva
sulla nuca profonda
noi chinavamo il capo
come sotto una legge,
e la legge mosaica
noi l'abbiamo composta
ricavando spezzoni
dagli altipiani chiusi;
ecco, il nostro trionfo
viene giú dalle montagne
come larga cascata;
    noi siamo restati
angeli uguali a quelli
che in un giorno d'aurora
hanno messo le ali.

Le piú belle poesie
si scrivono sopra le pietre
coi ginocchi piagati
e le menti aguzzate dal mistero.
Le piú belle poesie si scrivono
davanti a un altare vuoto,
accerchiati da agenti
della divina follia.
Cosí, pazzo criminale qual sei
tu detti versi all'umanità,
i versi della riscossa
e le bibliche profezie
e sei fratello a Giona.
Ma nella Terra Promessa
dove germinano i pomi d'oro
e l'albero della conoscenza
Dio non è mai disceso né ti ha mai maledetto.
Ma tu sí, maledici
ora per ora il tuo canto
perché sei sceso nel limbo,
dove aspiri l'assenzio
di una sopravvivenza negata.

Quiètati erba dolce
che sali dalla terra,
non suonare la tenera armonia
delle cose viventi,
mordi la tua misura
perché il mio cuore è triste
non può dare armonia.

Quiètati erba verde
non salire sui fossi
col tuo canto di luce,
oh rimani sotterra
nuda dentro il tuo seme
com'io faccio e non do
erba di una parola.

Forse bisogna essere morsi
   da un'ape velenosa
   per mandare messaggi
   e pregare le pietre
      che ti mandino luce;
      per questo io sono scesa
      nei giardini del manicomio,
      per questo di notte saltavo
      i recinti vietati
      e rubavo tutte le rose
      e poi ...
      prima di morire al mio giorno
      o notte, o lunga notte
      di solitudine assente,
      o devastati giardini
      dove io sola vivevo
      perché l'indomani sarei
      morta ancora di orrore
      ma la sera, oh la sera
      nei giardini del manicomio
      a volte io facevo all'amore
      con uno disperato come me
      in una grotta di orrore.

Quando sono entrata
    tre occhi mi hanno raccolto
    dentro le loro sfere,
    tre occhi duri impazziti
    di malate dementi:
allora io ho perso i sensi
ho capito che quel lago
azzurro era uno stagno
melmoso di triti rifiuti
in cui sarei affogata.

Tangenziale dell'ovest

Tangenziale dell'ovest,
scendi dai tuoi vertici profondi,
squarta questi ponti di rovina,
allunga il passo e rimuovi
le antiche macerie della Porta,
sicché si tendano gli ampi valloni
e la campagna si schiuda.
Tangenziale dell'ovest,
queste acque amare debbono morire,
non vi veleggia alcuno, né lontano
senti il rimbombo del risanamento,
butta questi ponti di squarcio
dove pittori isolati
muoiono un mutamento;
qui la nuda ringhiera che ti afferra
è una parabola d'oriente
accecata dal masochismo,
qui non pullula alcuna scienza,
ma muore tutto putrefatto conciso
con una lama di crimine azzurro
con un bisturi folle
che fa di questi paraggi
la continuazione dell'ovest,
dove germina Villa Fiorita [1].

[1] Manicomio milanese.

La luna s'apre nei giardini del manicomio,
qualche malato sospira,
    mano nella tasca nuda.
      La luna chiede tormento
      e chiede sangue ai reclusi:
    ho visto un malato
    morire dissanguato
       sotto la luna accesa.

Canzone in memoriam

Il vento penetrerà le querce
(fino a quando durerà il mio messaggio?)
ma se io non scrivo piú?
Il vento squassa le nostre ombre
su e giú per i pendii,
lungo i parabrezza delle nuvole
dove risuona la catena dell'aldilà.
Ebbene io verrò a cercarti,
madre mia benedetta,
su in cima alle colline,
sulle cime tempestose del Sinai.
    Perché tu eri la mia legge,
    la mia dottrina,
    tu sapevi aprire ogni parola
    e trovavi dentro il seme.
Ecco, ora parlo, parlo
forse una lingua blasfema
e intanto tu continui a morire
sotto la terra sotto il cardo.
Giorno per giorno muori
perché io non vengo a cercarti,
ma mi farò un bastone adatto
il bastone di Aligi,
verrò con te sulle montagne
perché tu abiti alto
e insieme cominceremo il coro
il vero famigliare assoluto
coro che ci disintegra la bocca.

Laggiú dove morivano i dannati
   nell'inferno decadente e folle
   nel manicomio infinito,
   dove le membra intorpidite
   si avvoltolavano nei lini
   come in un sudario semita,
      laggiú dove le ombre del trapasso
      ti lambivano i piedi nudi
      usciti di sotto le lenzuola,
      e le fascette torride
      ti solcavano i polsi e anche le mani,
      e odoravi di feci,
         laggiú, nel manicomio
         facile era traslare
         toccare il paradiso.
            Lo facevi con la mente affocata,
            con le mani molli di sudore,
            col pene alzato nell'aria
            come una sconcezza per Dio,
            laggiú nel manicomio
            dove le urla venivano attutite
            da sanguinari cuscini
               laggiú tu vedevi Iddio
               non so, tra le traslucide idee
               della tua grande follia.
               Iddio ti compariva
               e il tuo corpo andava in briciole,
               delle briciole bionde e odorose
               che scendevano a devastare
               sciami di rondini improvvise.

Cessato è finalmente questo inferno,
già da gran tempo, ormai la primavera:
l'indole giusta
del sonno mi risale le caviglie
mi colpisce la testa come un tuono.
Finalmente la pace,
i miei fianchi e la mia mente vinta,
ed io riposo giusta sui declivi
della mia sorte almeno per quell'ora
che mi divide dall'infame aurora.

Le parole di Aronne

Le parole di Aronne
erano un caldo pensiero,
un balsamo sulle ferite
degli ebrei sofferenti;
    a noi nessuno parlava
se non con calci e pugni,
a noi nessuno dava la manna.
Le parole di Aronne
erano come spighe,
crescevano nel deserto
dove fioriva la fede;
    da noi nulla fioriva
se non la smorta pietà
di chi ci stava vicino
e il veto antico ancestrale
dei paludati d'inferno.
A noi nessuno parlava;
eppure eravamo turbe,
turbe golose assetate
di bianchi pensieri.
Lí dentro nessuno
orava piangendo
sulla barba del vecchio Profeta
e Mosè non sprofondò mai
nel nostro inferno leggiadro
con le sue leggi di pietra.

Io sono certa che nulla piú soffocherà la mia rima,
   il silenzio l'ho tenuto chiuso per anni nella gola
   come una trappola da sacrificio,
      è quindi venuto il momento di cantare
   una esequie al passato.

Ogni mattina il mio stelo vorrebbe levarsi nel vento
soffiato ebrietudine di vita,
ma qualcosa lo tiene a terra,
una lunga pesante catena d'angoscia
che non si dissolve.
Allora mi alzo dal letto
e cerco un riquadro di vento
e trovo uno scacco di sole
entro il quale poggio i piedi nudi.
Di questa grazia segreta
dopo non avrò memoria
perché anche la malattia ha un senso
una dismisura, un passo,
anche la malattia è matrice di vita.
Ecco, sto qui in ginocchio
aspettando che un angelo mi sfiori
leggermente con grazia,
e intanto accarezzo i miei piedi pallidi
con le dita vogliose di amore.

La Terra Santa

Ho conosciuto Gerico,
      ho avuto anch'io la mia Palestina,
le mura del manicomio
      erano le mura di Gerico
   e una pozza di acqua infettata
   ci ha battezzati tutti.
   Lí dentro eravamo ebrei
   e i Farisei erano in alto
   e c'era anche il Messia
      confuso dentro la folla:
   un pazzo che urlava al Cielo
      tutto il suo amore in Dio.

   Noi tutti, branco di asceti
   eravamo come gli uccelli
      e ogni tanto una rete
   oscura ci imprigionava
   ma andavamo verso la messe,
   la messe di nostro Signore
   e Cristo il Salvatore.

Fummo lavati e sepolti,
odoravamo di incenso.
   E dopo, quando amavamo
ci facevano gli elettrochoc
perché, dicevano, un pazzo
non può amare nessuno.

   Ma un giorno da dentro l'avello
   anch'io mi sono ridestata
   e anch'io come Gesú
   ho avuto la mia resurrezione,
   ma non sono salita ai cieli
   sono discesa all'inferno
   da dove riguardo stupita
      le mura di Gerico antica.

Le dune del canto si sono chiuse,
    o dannata magia dell'universo,
che tutto può sopra una molle sfera.
    Non venire tu quindi al mio passato,
non aprirai dei delta vorticosi,
    delle piaghe latenti, degli accessi
alle scale che mobili si dànno
    sopra la balaustra del declino;
    resta, potresti anche essere Orfeo
che mi viene a ritogliere dal nulla,
    resta o mio ardito e sommo cavaliere,
    io patisco la luce, nelle ombre
sono regina ma fuori nel mondo
    potrei essere morta e tu lo sai
lo smarrimento che mi prende pieno
quando io vedo un albero sicuro.

Rivolta

Mi hai reso qualcosa d'ottuso,
una foresta pietrificata,
una che non può piangere
per le maternità disfatte.
Mi hai reso una foresta
dove serpeggiano serpi velenose
e la jena è in agguato,
perché io ero una ninfa
innamorata e gentile,
e avevo dei morbidi cuccioli.
Ma le mie unghie assetate
scavano nette la terra,
cosí io Medusa
fissa ti guardo negli occhi.
Io esperta sognatrice
che anche adesso mi rifugio in un letto
ammantata di lutto
per non sentire piú la carne.

Toeletta

La triste toeletta del mattino,
corpi delusi, carni deludenti,
attorno al lavabo
il nero puzzo delle cose infami.
Oh, questo tremolar di oscene carni,
questo freddo oscuro
e il cadere piú inumano
d'una malata sopra il pavimento.
Questo l'ingorgo che la stratosfera
mai conoscerà, questa l'infamia
dei corpi nudi messi a divampare
sotto la luce atavica dell'uomo.

Corpo, ludibrio grigio
con le tue scarlatte voglie,
fino a quando mi imprigionerai?
Anima circonflessa,
circonfusa e incapace,
anima circoncisa,
che fai distesa nel corpo?

Viene il mattino azzurro
nel nostro padiglione:
sulle panche di sole
e di crudissimo legno
siedono gli ammalati,
non hanno nulla da dire,
odorano anch'essi di legno,
non hanno ossa né vita,
stan lí con le mani
inchiodate nel grembo
a guardare fissi la terra.

I versi sono polvere chiusa
di un mio tormento d'amore,
ma fuori l'aria è corretta,
mutevole e dolce ed il sole
ti parla di care promesse,
così quando scrivo
chino il capo nella polvere
e anelo il vento, il sole,
e la mia pelle di donna
contro la pelle di un uomo.

a E. P.

Tu eri la verità, il mio confine,
        la mia debole rete,
        ma mi sono schiantata
contro l'albero del bene e del male,
        ho mangiato anch'io la mela
        della tua onnipresenza
        e ne sono riuscita
              vuota di ogni sapienza,
        perché tu eri la mia dottrina,
        e il calice della tua vita
sfiorava tutte le rose.
              Ora ti sei confusa
        con gli oscuri argomenti della lira
        ma invano soffochi la tua voce
        nelle radici-spirali degli alberi,
        invano getti gemiti
        da sotto la terra,
              perché io verrò a cercarti
              scaverò il tuo fermento,
              madre, cercherò negli spiriti
              quello più chiaro e più fermo,
              colui che aveva i tuoi occhi
              e la tua limpida voce
              e il tuo dolce coraggio
                    fatto soltanto di stelle.

Abbiamo le nostre notti insonni...

I poeti conclamano il vero,
potrebbero essere dittatori
e forse anche profeti,
perché dobbiamo schiacciarli
contro un muro arroventato?
Eppure i poeti sono inermi,
l'algebra dolce del nostro destino.
    Hanno un corpo per tutti
    e una universale memoria,
    perché dobbiamo estirparli
    come si sradica l'erba impura?
Abbiamo le nostre notti insonni,
le mille malagevoli rovine
e il pallore delle estasi di sera,
abbiamo bambole di fuoco
cosí come Coppelia
e abbiamo esseri turgidi di male
che ci infettano il cuore e le reni
perché non ci arrendiamo...
    Lasciamoli al loro linguaggio, l'esempio
    del loro vivere nudo
    ci sosterrà fino alla fine del mondo
    quando prenderanno le trombe
    e suoneranno per noi.

Ieri ho sofferto il dolore,
non sapevo che avesse una faccia sanguigna,
le labbra di metallo dure,
una mancanza netta d'orizzonti.
Il dolore è senza domani
è un muso di cavallo che blocca
i garretti possenti,
ma ieri sono caduta in basso,
le mie labbra si sono chiuse
e lo spavento è entrato nel mio petto
con un sibilo fondo
e le fontane hanno cessato di fiorire,
la loro tenera acqua
era soltanto un mare di dolore
in cui naufragavo dormendo,
ma anche allora avevo paura
degli angeli eterni.
Ma se sono cosí dolci e costanti
perché l'immobilità mi fa terrore?

Ancora un mattino senza colore
un mattino inesausto pieno
come una mela cotogna,
come il melograno di Dio,
un mattino che odori di felci
e di galoppate nei boschi,
ma non ci saranno né felci
né cavalli prorompenti in luce,
questo dolce mattino
porterà in fronte il sigillo
delle mie decadenze...

Ho acceso un falò
nelle mie notti di luna
per richiamare gli ospiti
come fanno le prostitute
ai bordi di certe strade,
ma nessuno si è fermato a guardare
e il mio falò si è spento.

Ah se almeno potessi,
        suscitare l'amore
come pendio sicuro al mio destino!
E adagiare il respiro
        fitto dentro le foglie
e ritogliere il senso alla natura!
        O se solo potessi
        toccar con dita tremule la luce
        quella gagliarda che ci sboccia in seno,
        corpo astrale del nostro viver solo
        pur rimanendo pietra, inizio, sponda
            tangibile agli dèi...
        e violare i piú chiusi paradisi
        solo con la sostanza dell'affetto.

La pelle nuda fremente,
che di notte raccoglie i sogni,
    la tua pelle nuda e fremente,
    che vive senza emozioni
    paga soltanto del mondo,
    che la circonda indifeso,
    la tua pelle non è profonda,
    resta soltanto una resa:
    una resa a un corpo malato
    che nella notte sprofonda,
    un grido tuo disperato,
    a quello che ti circonda.
    La tua pelle che fa silenzio,
    e lievita piano l'ora,
    la tua pelle di dolce assenzio
    forse può darti l'aurora,
    l'aurora tetra e gentile
    di un primo canto di aprile.

Il mio primo trafugamento di madre
avvenne in una notte d'estate
quando un pazzo mi prese
e mi adagiò sopra l'erba
e mi fece concepire un figlio.
O mai la luna gridò cosí tanto
contro le stelle offese,
e mai gridarono tanto i miei visceri,
né il Signore volse mai il capo all'indietro
come in quell'istante preciso
vedendo la mia verginità di madre
offesa dentro a un ludibrio.
Il mio primo trafugamento di donna
avvenne in un angolo oscuro
sotto il calore impetuoso del sesso,
ma nacque un bimba gentile
con un sorriso dolcissimo
e tutto fu perdonato.
Ma io non perdonerò mai
e quel bimbo mi fu tolto dal grembo
e affidato a mani piú «sante»,
ma fui io ad essere oltraggiata,
io che salii sopra i cieli
per avere concepito una genesi.

Da *Poesie per Marina* (1987-90)

La Terra Santa

Stampato per conto della Casa editrice Einaudi
presso la Nuova Oflito, Mappano (Torino)

C.L. 12229

Ristampa								Anno
	2	3	4	5	6	7	8	93 94 95 96 97